大學講座叢書

財閥の機構とその解體

京都帝國大學教授

大隅健一郎著

書肆

有斐閣

はしがき

この小册子は去る二月中旬に催された京都帝國大學法學部の「法學講座」において行つた講演の覺書に多少の補足を加へたものである。この講座は大體中等學校卒業程度の學力を有する人々を對象としてゐた。私としてはこれを上梓することは全く考へてゐなかつたところであるが、出版書肆の熱心な勸誘に動かされて遂にそれを承諾した。再建の途上にある今の日本にとつては、かうしたものでも多少の啓蒙的意義をもちうるかと考へたからである。私の思ひ過しでなければ幸である。

なほこの册子中に引用した財閥に關する各種の數字は一々出所を明かにしなかつたが、多くは東洋經濟新報第二一九八號（昭和二〇年一一月一七日發行）以下に連載された「財閥よ何處へ行く?」から借りた。記して厚く感謝の意を表する。

昭和二十一年三月

著　者

目次

一　財閥解體問題の經過

昨年十一月六日の聯合軍最高司令部の指令により三井、三菱、住友、安田の四大財閥の解體が命ぜられ、現にその解體工作が進められてゐることは人の知るところである。この財閥の解體は疑ひもなくポツダム宣言にある日本における軍國主義的勢力の除去、日本の非武裝化、日本の民主々義化なる原則に則つたものであるが、この問題が初めて米國側から示されたのは、昨年九月二十三日米國々務省から發表された所謂「降服後の日本管理方針」においてゞある。卽ちその第四部「經濟」、第二節「民主々義的勢力の助長」の中において、日本經濟の民主々義化の助長なる目的を達するために、最高司令官は日本の商業及び產業の大部分に支配力を有した產業及び金融に關する企業聯合（コンビネーションス）の解體の計畫を助成する政策を採るべき旨が明かにせられた。次いで十月二十日には、持株會社。財閥コンツェルン又は主要なる產業及び金融業の解體若くは解散は、事前に聯合軍最高司令部の承諾を受くることなくして日本政府により許可されてはならない旨が指示せられ、更に同月二十二日には　三井本社、三菱本社、住友本社、安田保善社、川崎重工業、日產、淺野本社。富士產業（舊中島飛行機）、澁澤同族、日本窒素肥料、古川合名、大倉組、野村合名、理硏工業、日本曹達及びこれ等の會社が一割以上の株式を有する子會社について詳細な報告書を提出すべき指示がなされた。そして十一月六日に至り、三井、三菱、住友、安田の四大財閥の解體に關する指令となつたのである。なほ本年一月二十二日には、日本政府に對し、上述の十五財閥に滿洲投資證券、日立及び日電工業を加へた十八財閥、並びに三井、岩崎、住友、安田、川崎、淺野、中島、澁澤、古河、大倉、野村、野口、鮎川、大河内の十四家族に關する調査命令が發せられたのであつて、上述の川崎以下の十四財閥並びにその後に巨大獨占企業として追加せられた王子製紙も、いづれ同じ解體の運命に服するものと豫想せられてゐる。

財閥の解體がポツダム宣言の原則に則るものなることは既述の如くであるが、その直接の目的を聯合軍最高司令部經濟科學部長クレーマー大佐の説明から要約するに、⑴日本經濟の武裝解除及び⑵日本經濟の民主々義化なる二つに求むることができる。日本における軍國主義的勢力の除去及び日本の非武裝化のためには、軍隊の解散に止まらず、軍國主義の支柱をなした經濟的基礎に遡つてこれを破壞することを要し、日本經濟の武裝解除には單に軍需工業力の破壞のみでなく、經濟の機構そのものを平和的な從つて民主々義的なものとしなければならない。それ故、上述の日本經濟の武裝解除及び日本經濟の民主々義化なる二つの目的は表裏相卽の關係にあり、我々は財閥解體の窮局の意義を日本經濟の民主々義化に見ることができるのである。

二　日本財閥の特徴とその解體の意義

財閥といふ言葉は今日では大體獨逸語のコンツェルンと略々同じ意味において用ひられ、三井財閥・三菱財閥・新興財閥などといふ代りに三井コンツェルン・三菱コンツェルン・新興コンツェルンなどとよばれる場合も少くない。然し財閥なる語はもちろん獨逸語のコンツェルンの飜譯語ではなくして、日本で生れた固有の日本語であり、獨特のニュアンスをもつた言葉である。この言葉と關聯して直ちに想起されるのは藩閥、學閥、軍閥等の語である。藩閥又は學閥といへば、同一藩又は同一學校の出身者といふ關係に基いて一つの政治的・經濟的など廣い意味の社會的勢力を形成してゐる人々の一群を考へ、軍閥といへば、軍人特に職業軍人といふ關係に基いて同様の勢力を形成してゐる人々の一團を考へる。財閥といふ言葉もこれに準じて考へうるのであつて、それは同一の資本により支配されてゐるといふ關係に基いて、一つの經濟的勢力乃至支配力（延いて政治的・社會的勢力をも伴ふが）を形成してゐる法律上獨立せる企業の一團といへるであらう。卽ち財閥といふ場合にはそこに、(1)同一資本による支配、(2)その支配下にある企業の集團、(3)その企業集團が一つの經濟的勢力乃至支配力を形成してゐること、の三つの要素が含まれてゐる。

この三つの要素を檢討することにより、我々は財閥そのもの及び日本財閥の特徴を明かにすることができるであらう。

先づ財閥は同一の資本によつて支配せられる企業の一國であるが、その支配資本が何人の手に屬するかによつて、財閥を同族的財閥、公開的財閥及び公的乃至半公的財閥に分かつことができる。同族的財閥とはその資本が特定の富豪乃至その一族の手に屬する場合であり、公開的財閥とはそれが、特定の富豪乃至その一族ではなくして、一般大衆たる不特定多數人に屬する場合であり、又公的乃至半公的財閥とはその資本が國家その他の公共團體に屬する場合である。

わが國の財閥の最も著しい特色の一つは、その大部分が同族的財閥なることである。元來財閥といふ言葉そのものがこれに對する語として起つたと考へられるのであつて、同族的財閥といへば何か屋上屋を架した感を免れないと同時に、公開的財閥又は公的財閥はむしろ公開コンツェルン又は公的コンツェルンとよばないと落ちつかないのもこの故である。しかも重要なことは、わが國の同族的財閥は日本獨特の家族制度、相續制度と結合して獨自の形相を呈してゐることである。卽ち三井財閥、三菱財閥その他の財閥にしても、三井某、岩崎某といふ少數特定の個人に屬するよりも、かゝる個人を超えた三井家、岩崎家等の日本獨特の「家」に屬すると見られるのであつて、その「家」の性格、その「家」の家風乃至家憲――聯合軍司令部もこの家憲の提出を命じてゐる――といつたものが財閥そのものに特色を與へてゐるのである。三井財閥、三菱財閥、住友財閥、安田財閥がいづれも近代の資本家的精神を以てその管理における中心的指導原理としながら、しかもその內部的機構及び運營において、それぞれの可成り顯著な獨自の色合を示してゐるのは、その關係企業の經濟的分野が異るからばかりではなくして、その「家」の性格に由來するところが少くない。時には財閥の關係企業分野が家憲によつて制約せられてゐる場合も見られる。そして右の如き事態はまた當然に、財閥首腦部の構成からその所屬企業の主要使用人に至るまでの人的支配關係が極めて閉鎖的・封建的なものとなつてゐることを推知せしむるに難くない。財閥所屬會社の社員の財閥當主に對する氣持を、三井の場合は信從、三菱の場合は畏服、住友の場合は敬愛として特徵づけてゐる記述を見出すことは（東洋經濟新報二一七七號六頁「戰時下の財閥」）、この點において興味があるわけである。

歐米でも、例へば英國のロスチャイルド、米國のモルガン、ロックフェラー、フォード、獨逸のクルップ、チッセン・ウント・スチンネス等一種の同族的財閥と見られうる例がないではないが、その國民經濟において占める比重はわが國の代表的財閥に比すべくもないのみならず、そこにはわが國の「家」の如き存在がなく、殊に歐米各國では相續法上わが國の長子相續制と異り均分相續制が行はれてゐるから、創業者の死亡と共に公開的なものとなる傾向が强い。

かやうにわが國の財閥は質量ともに壓倒的に同族的財閥から成つてゐるが、然し財閥所屬企業を支配する資本が大衆資本、卽ち一般大衆を株主とする株式會社資本から成る公開的財閥も滿洲事變以後急速に擡頭した。日産、日本窒素、日電工業、日本曹達、理研等の所謂新興財閥がこれである。こゝでも日産の鮎川、日窒の野口、理研の大河內といつた中心的資本家が見られるが、然しその資本的支配力は三井財閥における三井家、三菱財閥における岩崎家などの資本のやうに決定的ではなく、少くとも資本的にはむしろ無名の株式資本が支配してゐる。

右に見たやうに少數の同族的財閥が日本經濟を支配してゐる事態は、經濟の民主々義化と相容れない。もちろん經濟の民主々義化といふ場合その方向は種々ありうる。英國では經濟の民主々義化といへば企業の國有化とか自治團體による統制など企業の公共性の實現の方策を考へるが、米國ではむしろ從業員その他一般大衆に株式を分ち、これにより企業利潤に參加せしめ、所得の廣汎なる分配をなすことを考へる。然るに同族的財閥にあつては、株式の多數が少數富豪の一族の手に握られ、企業利潤もそれ等の者の手に流れ込むわけであつて、かゝる經濟的民主々義の思想と相容れないことは明かである。聯合軍最高司令部が財閥の解體を指令すると同時に、その淸算に當り、後述の如く、財閥本社の所有株式を從業員その他一般大衆に公開し且つ一人の買取りうべき株式の數を制限せんとする方策に出たことの意味は、こゝにあるといへる。

次に財閥なる言葉に含まれる第二の要素としての企業の集團に眼を轉ずるに、例へば三井財閥は株式會社三井本社（資本金五億圓全額拂込濟）を中心に直系會社・準直系會社・傍系會社及び投資會社を加へて約百五十社から構成せられてをり、三菱財閥は株式會社三菱本社（資本金二億四千萬圓全額拂込濟）を中心に分（直）系會社・關係（準直系）會社及び傍系會社で約七十五社から成つてゐる。同様に住友財閥は住友本社（資本金參億圓全額拂込濟）を中心に八十二社、安田財閥は安田保善社（合名會社出資總額參千萬圓）を中心に四十四社から構成されてゐるといはれる――もちろんこれ等の數字は見方により種々異りうるが。同一資本によつて支配せられるかやうな多數企業の集團が卽ち財閥である。たゞわが國の財閥なる言葉はかゝる企業集團そのものよりも、この企業集團を支配する資本家の側から見た言葉であるから、客觀的な企業集團そのものを財閥といふのは必ずしもシックリしない感じを伴ふ。これに反して、獨逸語のコンツェルンは恰もこの企業集團そのものを見た言葉である。特定の支配資本家をもたない公開的財閥たる日產・日曹理研などの新興財閥は、この故に日產コンツェルン・日曹コンツェルン・理研コンツェルンとよんだ方がよりシックリするのである。

この企業集團の側面からわが國の財閥の特色を見るに、その經營部門が極度に多様なること、特に金融及び產業の兩部門に支配網を展開する綜合型の大財閥が蟠踞してゐることを擧げうる。

財閥をその支配企業の陣容に從つて分かつと金融財閥、産業財閥及び綜合財閥とすることができる。金融財閥は銀行・保險・信託等の金融部門を中心とした財閥で、傘下に中心的な産業支配網をもたないものである。例へば安田、澁澤、野村等の財閥がこれである。産業財閥は同一又は異種の産業部門に支配網を展開してゐるが、傘下に金融企業を包含しないものである。そのうちにも、その支配企業の陣立において、淺野・大倉・古河などの多くのいはゆる既成財閥に見るやうに、相互に直接の有機的關聯をもたない多種多様な企業を無系列的に統合してゐる綜合型のものと、日本窒素・日電工業・日本曹達等のいはゆる新興財閥に見るやうに、原料・生産技術等の點において相互に有機的に關聯せる諸企業からなる芋蔓型のものとがある。綜合財閥は金融及び産業の兩部門に亙つて廣く支配網を展開してゐる財閥である。三井、三菱、住友の三大財閥は、それぞれ産業的重心のおき場は異つてゐるにせよ、代表的な綜合財閥である。

試みに三井財閥の傘下企業の事業の種類をとつて見るに、銀行・信託・保險等の金融業、各種重輕工業、化學工業、電氣・瓦斯事業、運輸・通信・倉庫業から商業、農林・水産業、食糧品業等に至るまで、およそ考へうる全産業部門を網羅してをり、しかもその一つ一つの企業が第一級の强力な企業體なのである。三菱財閥についても同樣であつて、たゞ若干重心の在り方が異るのみである。住友財閥は金融業のほかは各種重工業及び電氣・化學工業が中心で、その事業網の及ぶ範圍は三井、三菱ほどではないが、然しなほ相當廣汎である。また安田・野村等の金融財閥にしても近時かゝる綜合財閥を理想として、それへの方向を追つてゐたことは明かである。特に綜合財閥が金融と產業の兩部門に支配網を展開してゐる點は、財閥をして當該財閥企業の利益のために巧みに金融操作を行ひ、自由に經濟界を支配し利益を壟斷することを得しめる最も有力な武器であつて、格別の留意を必要とする。

わが國の三井、三菱、住友財閥の如く、その經營部門が極度に多樣で國民經濟の全面を覆うてゐる完全綜合型の財閥なるものは、世界的にその類例に乏しい。綜合型の產業財閥にしてもさうである。英國のロスチャイルドが稍〻これに近いといはれるが、現在その力は極めて微々たるものである。もちろん米國には、資本力からいへばわが國の三井、三菱、住友等の財閥よりも遙かに强大なものが多々あるにしても、ロックフェラーの石油、モルガンの金融、フォードの自動車といふやうに、大體一產業部門に關してゐる。戰前の獨逸においても、わが國の大財閥のやうに無系列的にあらゆる事業を網羅せるコンツェルンは稀であつた。前の第一次大戰後インフレーションの波にのつて一時かうしたものゝ擡頭を見た例もあるが、また忽ちにして沒落した。

右のやうにわが國の財閥が綜合財閥として國民經濟の全面に對してその事業網を展開してゐる事實は、當然に財閥の第三の要素としての勢力乃至支配力を考へる上において重要である。何となれば、このことはわが國の經濟全體が少數の財閥の手に握られ、經濟的專制主義が行はれてゐることを示すものたるにほかならないからである。それは一旦戰爭ともなれば、その大規模な經濟力の動員により容易に日本經濟を軍事目的に奉仕せしむることを可能ならしめるのみならず、財閥自身の利益のためには軍部と結んで積極的に戰爭を挑發する方向に動くこともありうるし、それだけの實力を有してゐる。また平時にあつても、國民生活そのものが少數財閥の一擧手一投足によつて左右せられることゝなる。しかのみならず、かやうな經濟界の覇者たる地位は政治的な力ともなつて現はれ、嘗て大正の末年から昭和の初年にかけての政黨內閣時代に、政友會內閣が三井內閣、憲政會乃至民政黨內閣が三菱內閣と公然常識化されてゐた事實に見られるやうに、國家の政治もまた財閥に支配せられるといふ狀態を現出するのである。

今回聯合軍最高司令部が日本の敗戰と同時に財閥解體問題をとりあげたのは、財閥が軍事目的の遂行に利用せられるのを恐れ、日本の徹底的武裝解除の一部としてこれを實現せんとしたものと考へられるが、然し平時における財閥の經濟的支配力の除去といふことも米國本來の政策のわが國への適用と見られる。財閥の經濟的支配力は、或は財閥が農業、商業、工業、鑛山業、金融業等の廣い分野にその事業網を展開し、殊に基礎產業部門を掌握して、國民生活上重要な物資の生產の主要部分をその手に握つてゐる結果——例へば三井鑛山・北海道炭鑛・太平洋炭鑛を擁する三井財閥で全國產炭の四割を占めてゐた——、財閥はこの獨占的勢力を利用し消費者大衆たる國民に獨占價格を强制してその利益を害するとか、或は嘗て三井物產が農家の鷄卵や鷄の飼料に手をつけて中小商工業者の生活部面を脅かしたやうに、財閥がその豐富な資本力に物をいはせて中小商工業者の自由活動を抑壓するといつたことに現はれる。殊にわが國の巨大財閥が金融と產業とを一手に掌握してゐることが、右の如き財閥の獨占化的傾向の重要なる支柱をなしてゐることは、先に述べた通りである。このやうな所謂企業獨占に對しては、米國は既に十九世紀の後半以來これが禁止政策をとり、有名なシャーマン・トラスト禁止法(一八九〇年)、クレイトン法(一九一四年)などの法律を制定してこれと戰つてゐるのであつて、經濟上自由競爭主義を確保するのが米國の經濟民主々義の一面である。この米國自體で古くから採られてゐる原則が今回の財閥の解體にも適用せられてゐるのであり、財閥解體の一面の意義はこゝにある。王子製紙が望ましからざる巨大企業としてリストに載せられたのは、主としてこの見地からである。從つて米國の立場からすれば、財閥の解體は日本の社會主義化を考へてゐるのではなくして、米國に見るやうな經濟上におけるフェアー・コンペティション(公正な競爭)をもたらさんとするものであるといへるであらう。

三　財閥の機構

先に述べたやうに、極く内輪に見積つても三井財閥は百五十個、三菱財閥は七十五個、住友財閥は八十個、安田財閥は四十四個の企業をその傘下に擁してゐる。その他の財閥にしても、いづれも少くとも十數個乃至數十個の企業から構成されてゐる。財閥は畢竟かゝる尨大なる數にのぼる多數企業の一大體系なのであつて、それ等の企業はいづれも法律的・名目的にはそれぞれ獨立の會社特に株式會社企業であるが、實際上は單一の指揮統制の下に搖ぎなく運營せられ、經濟的には完全に一體をなしてゐるのである。かゝることが如何なる手段によつて可能とされるであらうか。

法律的・名目的に獨立せる財閥所屬の多數企業を經濟上一體的なものに統合してゐるのは必ずしも法律的手段によつてのみではなく、そこには人的・物的なあらゆる要素が作用してゐる。然しその最も基本的なものは株式所有乃至資本參加である。そこで先づこれを明かにするために暫く株式會社について語らなければならない。

法律的な定義はしばらく措いていへば、株式會社は企業に對する出資者たる株主の團體である。法律上はこの團體が法人とせられ、獨立の權利義務の主體たるものとされてゐるから、その企業は法人たる團體そのものゝ所有に屬し、株主はこの團體の構成員たる地位において間接的に企業に對し參加してゐるに過ぎない。然し實質的・經濟的に見れば、株主が會社企業の所有者たるにほかならない。この株主の團體としての株式會社は、或る意味において最も民主々義的な構成を認められてゐる。會社企業は經濟的には株主の所有に屬するのであるから、その經營も株主の意思を基礎とせざるを得ない。然し株式會社における株主の數は、合名會社や合資會社の社員と異り、極めて多數なのが常である。數百人、數千人は普通のことで、わが國でも從來數萬人の株主を擁する巨大會社が少くなかつた。從つて會社企業の經營を株主自ら直接に擔當し得ないことは、民主々義國家にあつても國民全部が自ら直接に政治の運營を擔當し得ないのと同樣である。そこで株式會社では、一方において企業の經營は數人乃至十數人(法律上は三人以上)の取締役に委託せられると同時に、他方においてその取締役の經營が適正に行はれるか否かを監督するために別に數人(法律上は一人以上)の監査役が置かれることゝなつてゐる。この取締役は恰も國家における行政府たる政府に相當し、監査役は司法機關たる裁判所に當るわけである。

ところで、國の政治にあつては、わが國では今日に至るまで遂に民主政治の確立を見ず、大正の末年から昭和の初年にかけて一時議會における多數黨が交互に內閣を組織したこともあつたが、その後は絕えて久しく官僚・軍閥・重臣による內閣が續き、政府は議會と從つてまた國民の意思と無關係なる存在として止まつた。このことが今回の無謀なる戰爭と悲むべき敗戰をもたらした最大の原因なることはいふまでもないところであつて、現に問題となつてゐる憲法の改正においても、内閣は常に衆議院の多數黨から組織せられ且つ議會に對して責任を負ふべきものとする議院内閣制の確立が、その最大眼目の一つとなつてゐることは周知の通りである。然るに、少くとも近代の株式會社にあつては、このことは一般に當然なることゝして認められてゐる。卽ちわが商法によるも、株式會社には帝國議會に相當する株主總會が設けられ、そこにはすべての株主が出席し、その多數決により取締役及び監査役を選任し且つ自由にこれが解任をなしうるのみならず、會社の事業に關する限り何事によらず最高の決定をなしうるものとされてゐるのである。尤もこのやうな株式會社における民主々義には、國家の政治上における民主々義と異る重要な一つの點がある。それは株式會社における株主總會にあつては、國の帝國議會におけるやうに一人一個の議決權を認め頭數による多數を以て事を決するのではなくして、一株につき一個の議決權を認めその議決權の多數を以て決議をなすのである。從つて一人で十株もつてをれば十個の議決權を有するわけであり、或る株主が當該會社の發行した株式總數の過半數をもつてゐるとすれば、その者は常に株主總會における多數を制し、何時でも獨りで自ら欲するやうな決議を成立させることができるのである。卽ち株式會社における民主々義は資本又は株式本位の民主々義であり、この故にそれは屢々資本民主々義又は株式民主々義などとよばれる。

右の次第であるから、株式會社にあつては、その會社の株式總數の中半以上を有する株主は、何時にても自ら取締役若くは監査役となり又はその腹臣の者を取締役若くは監査役に選任して、會社經營の實權を握り、その欲するやうに會社企業の運營をなすことができるわけである。しかも會社において一株主が有しうる株式の數には通常制限はないし、株式は市場で自由に賣買取引されるのであるから、資本を有する者は何時にても株式の過半數を買占めて、會社企業を自己に屬するものゝ如く支配することができるのである。それ故株式會社はその本來の民主々義的組織にも拘らず、法の豫想を裏切り、却つて大株主の獨裁專制支配に陷り易い素質をそれ自體のうちにもつてゐる。

そしてこのやうに株式所有を通じて株式會社企業を支配することは、企業者にとつて頗る便宜な方法である。何故ならば、個人企業において百萬圓の企業資本が要るとすれば企業者自らその全額を負擔するほかないが、上述の株式所有を通じてこれを支配する方法をとるならば、その資本の半額の五十萬圓餘を以て實際上自己の企業と同樣にこれを支配することを得、支配資本が著しく節約されることゝなるからである。そして事業が失敗した場合にも、それだけ損失負擔額が少くてすむわけである。のみならず、この方法によれば新規に企業を起す手數なしに、既に建設し運營されてゐる企業を直ちに自己の支配下に收めることをうるから、創業の勞力と時間と費用とが節約せられ、且つ企業の採算についてもより適確な見通しをもつことができる。財閥の膨脹は實際上この方法によることが頗る多い。そして一旦支配下においた企業を不利と見れば、株式の賣却により何時にても容易にそれから手をひくこともまた可能である。就中支配資本の節約なることは、今日の如く企業が大規模化し尨大な資本を必要とするところでは、企業者にとつて頗る有利なことである。しかも株式所有を通じて會社企業を支配することにより支配資本の節約せられる程度は、實際上は右に述べたところよりも遙かに大きいのである。

これまでは一應理論に從つて、株式所有を通じて會社企業を支配するにはその會社の資本の半額に當る數の株式、換言すれば會社の株式總數の五割餘を有たなければならないとする立場において述べて來たが、然し實際はそんなに多數の株式所有を必要としない。比較的大きな會社で株式が相當に分散してゐる場合には、大體において二割乃至三割程度の株式をもつてゐれば、その會社を完全に支配しうるとされてゐる。その株主の信用・聲望・會社に對する功績等による裏付けがある場合には、一割程度の株式所有で足ることも稀ではない。それといふのが、株主總會には全部の株主が出席する建前になつてゐるけれども、株式の分散してゐる大會社では實際上は中小の株主は殆んど出席しない――昭和八、九年頃增地教授がわが國の巨大會社十二社につき調査されたところによると、大體持株數百株未滿の小株主が株主數において八割乃至九割、株式數において一・六割乃至三割程度、千株未滿の中株主が株主數において一割乃至二割、株式數において三割乃至四割程度を占めてゐる（增地・株式會社一一五頁）。十株や百株しかもたない株主が旅費を支出してまでも自ら株主總會に出席する筈がない。費用倒れになるばかりではない、頭數ではなくして株式數が物をいふ所へかゝる中小株主が出席して決議に加つても、殆んど問題にならないからである。自ら出席しない株主は委任狀を會社に差出して代理人を出席させることができるが、これも實際上は中々行はれない。またたとへ行はれても、今日の實際におけるやうに白紙委任狀を會社へ送附するのでは、却つてこの委任狀を利用しうる地位にある會社の大株主乃至取締役の支配力の强化に役立つに過ぎない。結局中小株主は會社企業が順調に運營せられ、相當の配當が行はれてゐる限り、株主總會はもちろん會社の經營自體に對し何等の關心をも示さないのが實情である。その無關心なる點においては社債權者と多く選ぶところがない（株主の社債權者化の現象）。昭和八年增地教授が當時のわが國の重要な株式會社百五十九社につき調査されたところによると、それ等の會社の株主總會に自ら出席し又は委任狀を提出して代理人により參加した者の平均數は、株主總數において全體の約四・一割、持株數において約六・二割となつてゐる（增地・前揭二四三頁）。これによるも、大體二割乃至三割程度の株式所有を以て、それ等の會社の株主

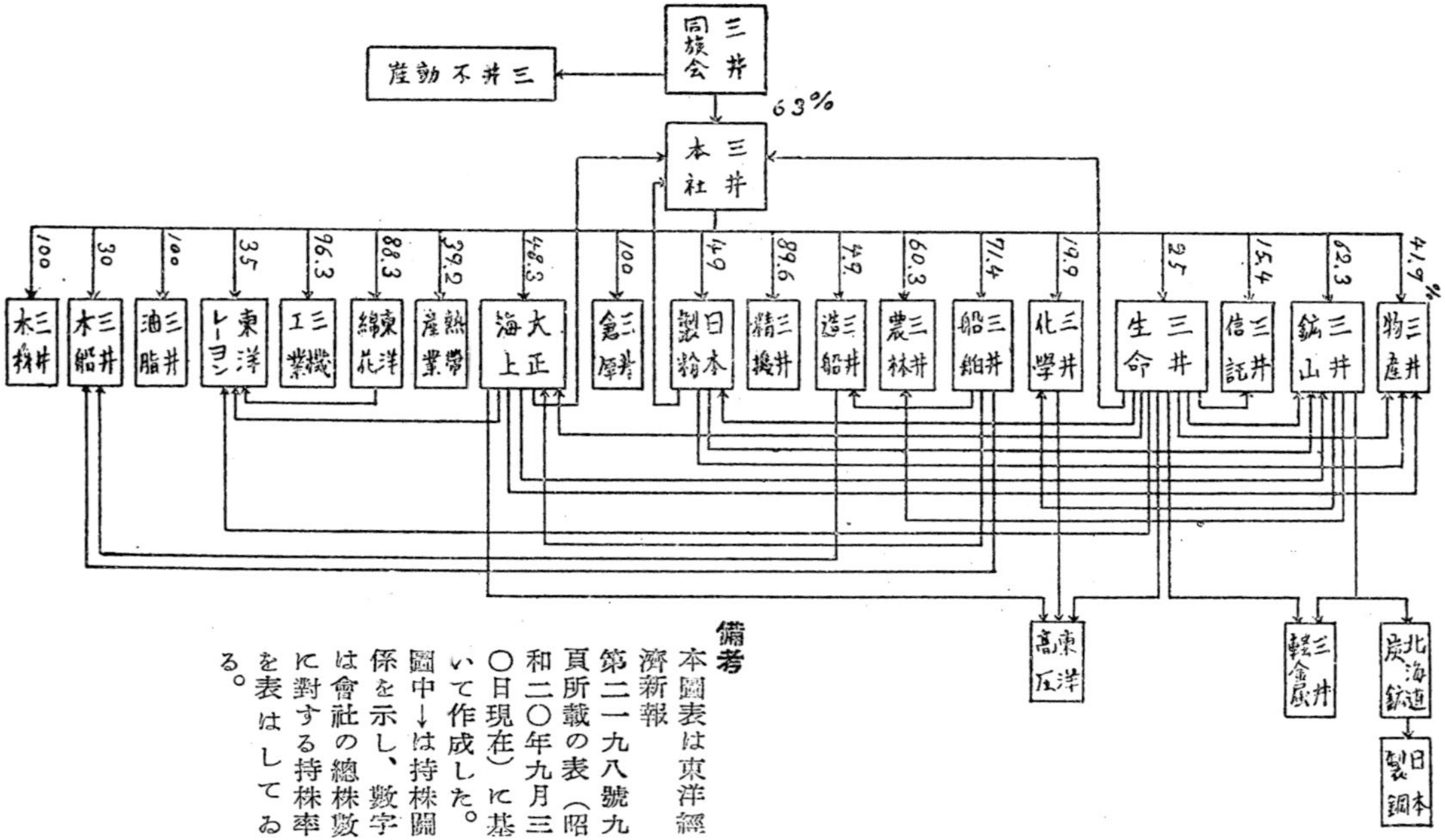

備考　本圖表は東洋經濟新報第二一九八號九頁所載の表（昭和二〇年九月三〇日現在）に基いて作成した。圖中↓は持株關係を示し、數字は會社の總株數に對する持株率を表はしてゐる。

總會における決議を支配し、延いて會社企業を支配しうることを知ることができる。

先に述べたやうに、財閥が數十乃至百餘の傘下企業を支配し統制して、經濟上これを一體的なものとして運營してゐるのも、基本的には上述の原理を基礎としてゐるにほかならない。これを具體的に三井財閥について見ることゝする。

右の表は三井財閥における三井本社並びに直系及び準直系二十二社（但し北海道炭鑛及び日本製鋼はそのいづれにも屬しないが、以下の説明の便宜のため附加した）の間の複雜なる持株關係を圖示したものである。他の財閥もその機構は大體同じであるから、これに準じて考へることができる。この圖表によつて明かな如く、三井財閥にあつては、その傘下企業の頂點に株式會社三井本社（明治の末年に創立の三井合名が昭和十五年三井物產に吸收せられ、昭和十九年三月更に三井物產の商事部を切離して三井本社となる）が立ち、それ等企業中の主要なるものゝ株式を所有し、これを通じてそれ等の會社を支配し統制してゐるのであつて、三井一族十一家はこの三井本社を資本的に支配することにより、延いて財閥傘下企業全體の支配權を確保してゐるのである（尤も直系會社に對しては同族會自體も同時に持株參加してゐるが）。しかして、こゝに示したのは傘下企業中の中核的な直系及び準直系會社であるから、本社の持株率も可成り高くなつてゐる。三菱財閥では三菱本社、住友財閥では住友本社、安田財閥では安田保善社が右の三井本社の地位に立つてゐる。これ等の財閥本社はかやうに財閥傘下の諸會社の株式を保有し、これを支配統制する司令部的な役割を演ずることをその主たる事業とするものであつて、いはゞ財閥の頭腦に當るものである。その財閥企業體系の頂點に座する點から見てこれを屋根會社といひ、或は他會社の株式を保有しこれを支配することを目的とする點から見て持株會社（ホールディング・カムパニー）ともいふ。持株會社には三井本社、三菱本社の如く株式の保有による傘下企業の統轄支配のみを目的とするものもあれば、同時に商業・工業等の現業を併せ行ふものもある。住友本社も若干の現業を行つてゐたが、殊に新興財閥の持株會社には現業機關を兼ねるものが多い。なほ嘗ては同族的財閥の持株會社は合名會社又は合資會社たるを常としたが、昭和十二年の住友の改組に當り初めてこれを株式會社として、財閥資本のほかに大衆資本の導入を試み、次いで三菱、三井もこれに倣ふに至つた。けだし日本經濟の大膨脹と共に、財閥の自己資本のみでは傘下企業の資金需要を賄へなくなつたからである。然し今日でも中小財閥の持株會社は多く合名會社又は合資會社である。

ところで、前掲の圖表における三井輕金屬、東洋高壓、北海道炭鑛の如く、直接財閥本社はその株式を保有しないで、本社の直接支配下にある他の會社（これを本社の子會社といふ）がその株式を所有してこれを支配し、それを通じて間接に財閥本社がその支配を掌握してゐる會社もある（これを本社の孫會社といふ）。かやうに財閥本社は直接株式所有により子會社を支配するのみならず、その子會社の持株により孫會社を支配し、更に孫會社の持株により曾孫會社を支配するといふやうに、ピラミッド型乃至扇面的にその支配網を展開するのが普通である。この所謂ピラミッド型支配により財閥の支配資本は一層節約せられることゝなる。例へば前掲の圖表において、三井本社が三井鑛山を支配するには理論上その株式の中半を所有しなければならない。三井鑛山が北海道炭鑛を、北海道炭鑛が日本製鋼を支配するについても同様である。然るに三井本社が、三井鑛山を通じて北海道炭鑛を支配する關係を見ると、三井本社は結局北海道炭鑛の株式の半分の半分即ち四分の一を以てこれを支配してゐるわけであり、日本製鋼についていへばその株式の八分の一を以てこれを支配してゐることゝなる。かやうに子會社を通じて孫會社を、孫會社を通じて曾孫會社をといふやうに、中間に會社を介在させながら支配網を展開する場合には、二の公率を以て幾何學級數的に支配資本が節約せられることゝなるのである。加ふるに、前掲の圖表に見られるやうに、三井鑛山が三井化學・三井農林の株式を、三井生命が三井本社・物產・鑛山・信託・日本製粉・大正海上・東洋レーヨンの株式を、三井船舶が三井造船及び木船の株式を、三井造船が三井木船の株式を、日本製粉が三井本社・物產・鑛山の株式を、大正海上が三井本社・物產・鑛山・東洋レーヨンの株式を、東洋綿花が東洋レーヨンの株式を所有するが如く、財閥所屬の會社が相互に株式を持合ふことにより一層支配資本の節約がはかられてゐる。これはいづれの財閥にも見られる現象であるが、就中日曹・理研等の所謂新興財閥において甚だしかつた。

かやうにして、例へば資本金五億圓の三井本社は少くとも百五十一社公稱資本合計二十八億千四百十六萬九千圓に達する會社を、資本金貳億四千萬圓の三菱本社は七十五社公稱資本合計二十七億貳千六百餘萬圓の會社を完全に支配してゐるのである。

なほ財閥の企業支配の手段として看過することを得ないのは、銀行・信託・保險會社等における財閥金融資本が融資又は投資により財閥の企業支配を確立又は支援することが少くないこと、並びに財閥の商事機關の活躍である。第一の點は多く説明を要しないと思ふが、第二の點について一言すれば、大戰中は兎に角それ以前においては、三井傘下の三井物產、三菱傘下の三菱商事が各種原料及び製品、特に輸出入品について一手供給權又は一手販賣權を有することが頗る多く、右等財閥はこれを通じて企業支配を掌握する場合が少くなかつた。けだし一手供給權又は一手販賣權を有すれば、原料封鎖又は販賣杜絶を以て容易に相手企業の死命を制することができるからである。また一手供給權又は一手販賣權の獲得とまでは行かなくとも、原料供給又は製品販賣への關與が財閥の有力なる企業支配の武器となることは想像に難くない。關西財閥の一つとして知られる伊藤忠、現在の大建工業が北陸・東海・關東の中小紡績を集中して今日の大をなしたのも、その製品販賣及び原料供給機關を背景とした結果であるといはれる。

以上述べた如くにして、財閥は株式所有を中心としこれに各種の方法を交へながら、その產業支配を展開するが、この場合その支配權により傘下會社に自己の手で取締役又は監査役を送り込み、それを通じて更に會社全體の人事を掌握して、その支配を完璧ならしめるのが普通である。殊に所謂直系會社の社長は本社の取締役がこれを兼ね、本社の取締役會において全體の事業の連絡をはかる場合が多い。しかのみならず、更に傘下會社の間にも縱橫に重役の派遣又は交換による兼任が行はれ、人的關係による支配の强化が行はれてゐる。それ故財閥本社は不斷にできるだけ優秀な人材を育成し、これを傘下企業に供給するところの人物のプールの役目をなしてゐたのである。大學を出た秀才が競つて三井、三菱、住友などの本社をめざして就職したのも故なしとしない。そしてこのスタッフの優秀性がまた資本力と並んで財閥の大きな强味をなしてゐたのである。

四　財閥解體の方策

以上を以て財閥の支配機構の概略を述べたのであるが、これを理解するならば、今回財閥の解體についてとられた處置も容易に理解することができる。尨大な財閥の機構における中樞的・頭腦的な存在は財閥本社即ち所謂持株會社であり、これから人體における神經系統の如く支配網が四方に延びてゐるのである。それ故財閥の解體につき考へられる最も簡單な方法はこの持株會社の除去である。この會社を解散し、その保有株式を公開分散せしめ、且つその人事に於ける支配關係をも拂拭するならば、傘下の直系、準直系、傍系等の各會社は財閥の統轄管理を離れて個々獨立の企業體とならざるを得ないからである。昨年十一月四日わが政府が聯合軍最高司令部に提出してその承認を得た財閥解體案「持株會社の解散に關する件」も、かゝる方策を具體的に定めたものにほかならない。尤も三井、三菱の如き典型的な大綜合財閥は從來それ自體の內部に幾つかのコンツェルンを包攝してゐたのであつて、たとひ傘下會社殊に直系會社が獨立しても、更にこれを中心として當該部門における獨占體成立の可能性が多分に存する。從つて經濟の民主々義化の目的のためには、將來この危險についても對處するところがなければならないであらう。

わが政府により聯合軍最高司令部に提出された前述の財閥解體案につきその大要を述ぶれば、次の如くである。

三井本社、安田保善社、住友本社及び三菱本社の四大財閥本社の解體をはかるために、(一)政府は特殊の清算機關として持株會社清算委員會を設置し、前記四大財閥本社はその所有にかゝる一切の證券を初め、他の商社・會社又は企業に對する所有權又は支配權を示すすべての證書をこの委員會に引渡す。(二)かくして財閥本社は、直接たると間接たるとを問はず、金融・工業・商業乃至商業以外のあらゆる企業を命令し又は支配することを中止する。(三)右の證券その他の證書を持株會社清算委員會に引渡すと共に、財閥本社の取締役及び査役はその職を退き、爾後これ等會社の運營又は方針につき直接たると間接たるとを問はず一切關與しない。(四)三井、安田、住友及び岩崎家のすべての家族は、すべての金融・商業・非商業又は產業關係の企業における職を退き、爾後それ等企業の運營又は方針につき直接たると間接たるとを問はず關與しない。しかして、(五)上述の持株會社清算委員會の權限は次の如きものとする。(イ)財閥本社から引渡を受けたすべての資產の清算をできる限り速かに行ふこと。(ロ)財閥本社に對しこれ等引渡を受けた財產と引換に領收書を交付すること、この領收書は賣買・讓渡し又は擔保として使用することを得ない。(ハ)引渡を受けた財產の處分が完了するまでそれに附隨する議決權を行使すること、但しその範圍は會計及び報告の適當なる方法を確保し、また經營及び會社の慣習に關し聯合軍最高司令官の特に希望するが如き變更を加へるため必要なものに限る。(ニ)引渡を受けた財產が最終的に清算される際、日本國政府國債をその財產の所有者に交付し、先の受領書を回收すること、この國債は交付の日から十年以內は支拂はれず、相續以外には賣買・讓渡することを得ず、また清算委員會の定むる例外の場合のほかは擔保に供することもできない。(ホ)小株主の利益を保護すること。(ヘ)例へば受領資產の處分・稅金その他の負債の支拂の如き、財閥本社の通常の事務の運用上の問題を解決すること、これである。(六)持株會社清算委員會がその引渡を受けた證券その他の財産の清算をなすにはこれを賣却するわけであるが、この賣却に當つては、當該會社の從業員に買入優先權が與へられ、また株式の場合には所有權の民主々義化を最大限に保證するために一人の者が買取りうべき株式の數は制限せられる。こゝに先に述べた米國の經濟民主々義に關する思想の一端を窺ふことができる。また(七)右の賣却に當り、財閥本社はもとより三井、安田、住友、岩崎家の家族はこれを購入し乃至は他の方法を以て、これに對する何等かの資格又は所有權又は權利を獲得することを得ない。

以上が日本政府の提案における財閥解體の措置に關する主なる事項であるが、財閥本社の所有にかゝる株式の處分につき日本の現狀から考へるに、その全部を日本國内において消化することができるか否か餘程疑問であつて、結局その一部は米國へでも持つて行つて處分するほかないのではないかと憶測せられる。

右の日本政府の提案に對し、十一月六日の聯合軍最高司令官の覺書は、(一)原則としてこの提案を承認すること、日本政府は直ちにこれを實行に移すべきこと、持株會社清算委員會に引渡されたすべての財産の處分は最高司令官の事前の承認なくしてはなされ得ないこと、日本政府は清算委員會の設置に關する法規を最高司令官の承認を求むるため提出すべく、司令官はこの提案に對し何時にても加筆又は訂正をなし、且つその實行を監督及び檢討するため完全なる自由を留保することを明かにしてゐる。同時に(ニ)日本政府は證券その他所有權・債務又は支配を示す證書を含む動産・不動産が、三井本社、安田保善社、住友本社、三菱本社並びに三井、安田、住友、岩崎各家又はその代理人により賣却・贈與され、委託又は讓渡されることを禁止するため必要なる措置を速かにとるべき旨を命じてゐる。

以上は聯合軍最高司令官の覺書中直接財閥の解體に關する主要なる事項であるが、なほ注意すべきことは、同覺書がその後半において、最高司令官の日本經濟の管理方針を明かにし、その實現のために日本政府に對し特定の措置を命じてゐることである。即ちこれによれば、聯合軍最高司令官の意圖は、日本における民間の工業、商業、金融及び農業に關する企業聯合(コンバイン)を解體し、且つ望ましからざる重役兼任及び望ましからざる會社相互の證券保有を除去し、これにより、(イ)生産及び通商手段より生ずる所得及びこれ等所有權の一層廣汎なる分配をなさしめ、(ロ)日本における平和的・民主々義的勢力の發展に寄與するが如き形式の經濟組織及び制度を助長するにある。日本政府が今回提出せる財閥解體に關する計畫はこれ等の目的に對する第一歩たるに過ぎないのである。それ故日本政府は更に次の如き計畫をたて聯合軍司令官の承認を求めなければならない。即ち(1)前述の財閥解體案のほか工業、商業、金融及び農業に關する企業聯合の解體に關する計畫、⑵私的獨占企業を發生・促進又は强化する如きすべての立法的・行政的措置を廢止する計畫、⑶私的獨占企業、取引の制限、望ましからざる重役兼任、望ましからざる會社相互の證券保有を消滅せしめ且つこれを防止し、商・工・農業を銀行業より分離し、且つ民主々義的基礎に立ち工業、商業、金融並びに農業につき各商社及び個人をして競爭をなす機會を均等に有せしむるが如き法規――具體的にいへば米國のトラスト禁止法の如き――を制定する計畫がこれである。加ふるに、日本政府は私的國際カルテル又は他の制限的國際契約又は協定への日本人の參加を有效に中止せしめ且つ禁止するための必要なる措置を速かに講ずべきことが、併せ要請せられてゐる。これ等もまた既に米國の國內政策として採られてゐる經濟民主々義の思想のわが國への適用として理解せられうることは、先に述べたところから容易に知ることをうるであらう。

以上が昨年十一月六日に發表せられた財閥の解體に關する日本政府の提案とこれに對する聯合軍最高司令官の覺書の大要であつて、現にこれに基く措置が進められてゐるのである。持株會社淸算委員會の委員長には先に前の三和銀行頭取中根貞彥氏が任命せられ、その他の委員の詮衡についても目下聯合軍最高司令部の承認が求められつゝある模樣である。なほ上述の政府案においてはこの委員會は財閥本社の財產の淸算事務を遂行するだけのものとなつてゐるが、去る二月九日の新聞紙の報ずるところによれば、聯合軍最高司令部のその後の意向では、この委員會をして清算事務を管掌するに止まらず、進んで一切の子會社を含めた財閥傘下の全會社の今後の運營管理に當らしめんとするものゝ如くである。然るときは同委員會は四大財閥傘下企業の運營機關として、暫定的にせよ日本經濟の指導的地位に立つことゝなる。從つてその機構はよほど大規模なものとなると同時に、委員に各方面の人材を集めなければならないのであつて、その今後の推移が格別の注目に値する次第である。

このやうにして、多年に亘り日本經濟の上に王者の如く君臨した巨大財閥は今や解體せられ、その支配は終焉を告げやうとしてゐる。然しながらこの財閥の解體は、聯合軍最高司令官の覺書もいうてゐるやうに、日本經濟民主々義化の第一歩に過ぎない。それはいはゞ民主々義的經濟組織及び制度樹立のための地均し工作に過ぎないのであつて、問題はこの地均しされた地盤の上に如何なる組織及び制度が再現されるかによつて決定せられる。この重大なる任務はかゝつて國民の双肩にあることを、我々は深く銘記しなければならないのである。

（日本出版文化協會會員番號一四〇二七〇號）

昭和廿一年五月十五日印刷
昭和廿一年五月二十日發行

財閥の機構とその解體

著作者　大《おほ》隅《すみ》健《けん》一《いち》郎《らう》

發行者　江草四郎
東京都神田區神保町二丁目十七番地

印刷所　內外印刷株式會社
代表者　富森茂彭
京都市下京區西洞院七條南

發行所　東京都神田區神保町二丁目十七番地
書肆　有斐閣
本店　電話九段三二二一・三二二三
振替口座東京三七〇番
本鄉支店　東京都本鄉區帝大正門前
電話小石川一九二〇番

配給元　東京都神田區淡路町二丁目九番地
日本出版配給株式會社

財閥の機構とその解体<大学講座叢書>
(オンデマンド版)

2013年1月15日　発行

著　者　　大隅　健一郎
発行者　　江草　貞治
発行所　　株式会社 有斐閣
〒101-0051　東京都千代田区神田神保町2-17
TEL　03(3264)1314(編集)　03(3265)6811(営業)
URL　http://www.yuhikaku.co.jp/

印刷・製本　　株式会社 デジタルパブリッシングサービス
URL　http://www.d-pub.co.jp/

AG968

ISBN4-641-91412-5　Printed in Japan